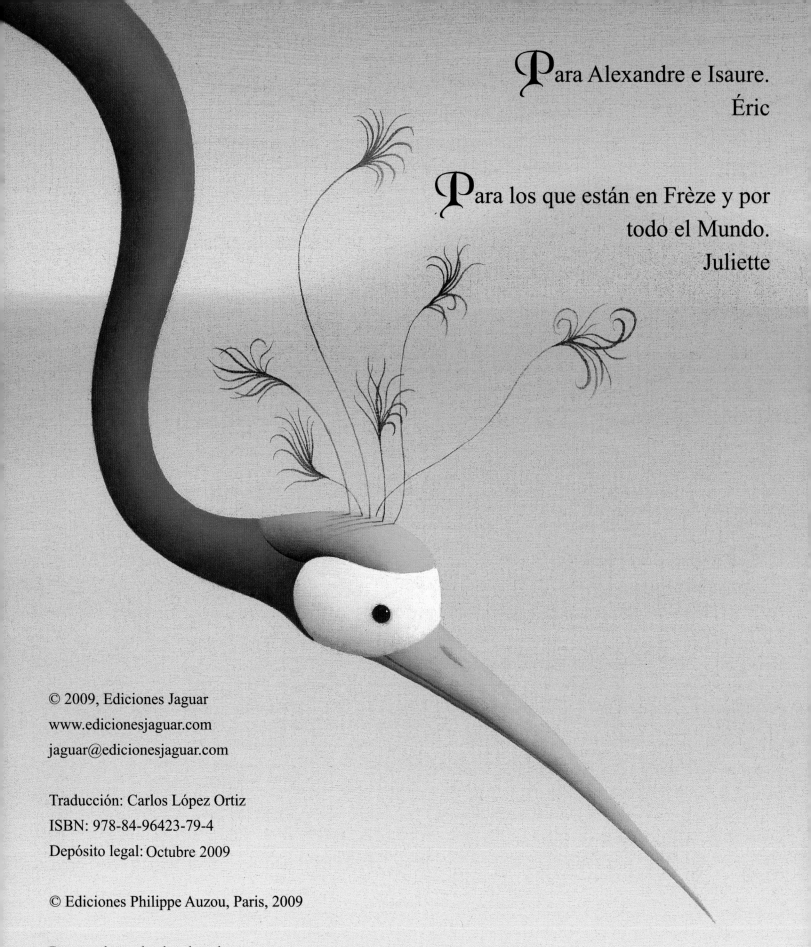

Para Alexandre e Isaure.
Éric

Para los que están en Frèze y por
todo el Mundo.
Juliette

© 2009, Ediciones Jaguar
www.edicionesjaguar.com
jaguar@edicionesjaguar.com

Traducción: Carlos López Ortiz
ISBN: 978-84-96423-79-4
Depósito legal: Octubre 2009

© Ediciones Philippe Auzou, Paris, 2009

En busca de la felicidad

Ilustraciones de Éric Puybaret

Texto de Juliette Saumande

Los habitantes del país de Prudencia tenían mucha suerte:

¡ni uno solo de ellos estaba triste!

Nunca hacían pasteles (por miedo a estropearlos),

nunca jugaban con sus juguetes (por miedo a romperlos),

nunca se iban de viaje (por miedo a perderse).

Por tanto, al no lanzarse nunca hacia lo desconocido, nunca se decepcionaban.

¡Centenares de curiosos venían de todo el mundo a descubrir su secreto!

Sin embargo…

… Manoug no estaba contento.

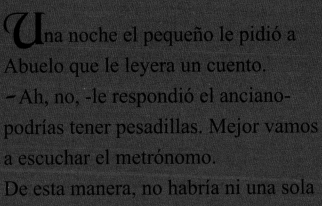

Una noche el pequeño le pidió a
Abuelo que le leyera un cuento.
—Ah, no, -le respondió el anciano-
podrías tener pesadillas. Mejor vamos
a escuchar el metrónomo.
De esta manera, no habría ni una sola
discordancia: a un tic siempre le sigue
un tac.

Sigue los consejos de tu abuelo
y nunca tendrás tristezas.

Manoug no estaba convencido.
—Un día -dijo- me iré de aquí y haré
lo que quiera, ¡contento o triste!
Con esto en mente, se sumergió bajo las
sábanas, y no le dijo ni media palabra a
Abuelo.

Manoug estaba enfurruñado en su cama cuando, de repente, la ventana se abrió y un pájaro lira se posó delante de él.

–Soy Coagne –dijo.

El Viento de la Noche me ha soplado que querías irte.

Me dirijo al País de la Felicidad, ¿quieres acompañarme?

Y sin esperar, el pájaro se fue.
Manoug saltó de la cama y corrió detrás de él,
a través de la casa, por el campo de calabazas…
pero Cocagne desapareció por el horizonte muy
rápidamente.

Manoug anduvo durante mucho tiempo. Al alba, llegó hasta una playa de arena blanca. Allí, encontró un minúsculo barquito, saltó a bordo y remó con todas sus fuerzas.

Pero muy poco después se levantó una gran tempestad…

…y el barquito se bamboleó, se dio la vuelta y se fue a pique.

Manoug movió rápidamente
brazos y pies y tragó
grandes bocanadas
de agua salada.

Cuando finalmente el mar
le escupió a la superficie, estaba
completamente desanimado.

–¡Todo está perdido!
¡Cocagne ha desaparecido
y aquí estoy solo
en tierra desconocida!
Se sentó sobre unas piedras
y se puso a llorar.

El hambriento naufrago finalmente volvió hacia atrás.

Llegó a un pueblo y preguntó por algo de comer.

– Coge esos frutos –le dijeron los aldeanos.

– ¿Y si no están maduros? –preguntó Manoug–.
¿O si lo están demasiado?

– Vale la pena intentarlo…
¡Pues lo que cuelga sobre nuestro árbol
son **caramelos**!

Manoug no se resistió. El primero estaba duro como un
trozo de madera; el segundo se le escurría entre los dientes:
¡asqueroso! Pero el tercero… ¡el tercero estaba delicioso!

Esa tarde, Manoug escribió

su primera postal.

Querido Abuelo,

¡Me encuentro en el País de la Felicidad! Todo el día estoy
comiendo caramelos (¡buenos y malos!). ¡Me duelen un poco
los dientes pero aparte de eso, esto es increíble!
Dulces besos,
Manoug.

En ese mismo instante, Cocagne apareció.
-¿Así que te gusta la Casi-Isla Exquisita? -dijo.
-¿Cómo? ¿Esto no es el País de la Felicidad?
-Es aquí…, -respondió el pájaro- y en otro lugar.
Yo voy a continuar mi camino, ¿quieres acompañarme mañana?

Ala mañana siguiente, Manoug, intrigado, decidió seguir el camino.

¡Encontraría el País de la Felicidad cueste lo que cueste!

Se marchó en la misma dirección que su amigo alado

y llegó a las tierras de un gran hechicero.

-Pídeme lo que quieras -le dijo-, que hallarás la respuesta.

Manoug no se fió.

-¿Pero si no me gusta?

-¡Pues no tendrás más que pedir otra cosa!

Manoug pidió… un conejo hablador, unos dientes de dinosaurio,

un coche magnífico y una rama que busca oro.

-Sensacional -gritó- ¡aquí todos los días son el día de Reyes!

Por la noche, Manoug se lo contó todo por postal a Abuelo.
Qué lástima que no estés aquí para ver esto.
No puedo llevarme nada porque desaparecería todo
en cuanto abandone las tierras del hechicero. ¡Así que he
decidido quedarme!

Y añadió: "besos atiborrados" justo cuando Cocagne llegó.

–¡Ahora sí que estoy aquí! -declaró Manoug-.

¡En el País de la Felicidad!

–Sí y no, -respondió el pájaro-. Ahora estamos en la Garganta de los Mimados.

La bella ave desplegó sus alas y se fue.

Manoug no se lo creía.

¿Se podía ser todavía más feliz ahí fuera?

Lo tenía claro, ¡quería ver eso!

Al día siguiente, Manoug escaló hasta lo alto de una montaña.
Allí, unas chiquillas hacían una batalla de bolas de nieve.
–¿Juegas?
Manoug dudó: "Abuelo me diría: ¡te arriesgas a pillar frío!"
Pero Abuelo no estaba ahí y Manoug aceptó.
Más tarde, escribió:

¡Estoy lleno de moratones, pero qué risa!
¡Tiene que ser aquí el país de la gente feliz!

Sin embargo, Cocagne le anunció una
vez más:
—Estás equivocado y tienes razón a la
vez. Esto es el Glaciar de los Aglagas.

Así que Manoug bajó de la montaña
y se encontró con una anciana que le dijo:
–Tienes pinta de ser un buen chaval y ca-
minas como un auténtico montañero. Ven al
castillo y te presentaré.

Manoug creía estar en el cielo.

En el castillo, se le hicieron tantos cumplidos
que acabó rojo como un pimiento.
Esa noche, envió unos besos muy orgullosos a Abuelo.
–Hete aquí que estás en el Valle de los Radiantes
–declaró Cocagne–. Yo voy a seguir. ¿Me sigues?
–Los cumplidos están bien, –pensó Manoug–. Pero
tengo miedo de aburrirme aquí.

Así que le respondió:

–¡Sí, sí y tres veces sí!

Durante todo ese tiempo, Abuelo leía y releía
las postales de Manoug. Si se hubiera atrevido,
se habría encontrado con él sobre la marcha.
Pues a él, después de todo, también le habría gustado
visitar el País de Todo-Dulce donde las mamás nunca
tienen las manos frías y todo el tiempo dan caricias a sus
lindos retoños.
Y la tribu Amigos-Amigos en la Bahía de los Estribillos,
¡ésa sí que tiene que ser bonita!

Pero Abuelo no se atrevía.
¡Oh, a veces cómo se arrepentía
de ser tan prudente!

Manoug viajaba
desde hacía casi un año.
A cada nueva comarca
que descubría, pensaba:
"¡lo he encontrado!"
pero siempre Cocagne
le respondía:

"es verdad… y es mentira".

El pequeño viajero acabó por
preguntarse si el tan buscado país
existía realmente. ¡Pero es que la
aventura le divertía tanto! Sin
embargo, cada vez con más
frecuencia, se acordaba de Abuelo
y pensaba que a lo mejor llegar al País
de la Felicidad no era tan importante
como él.

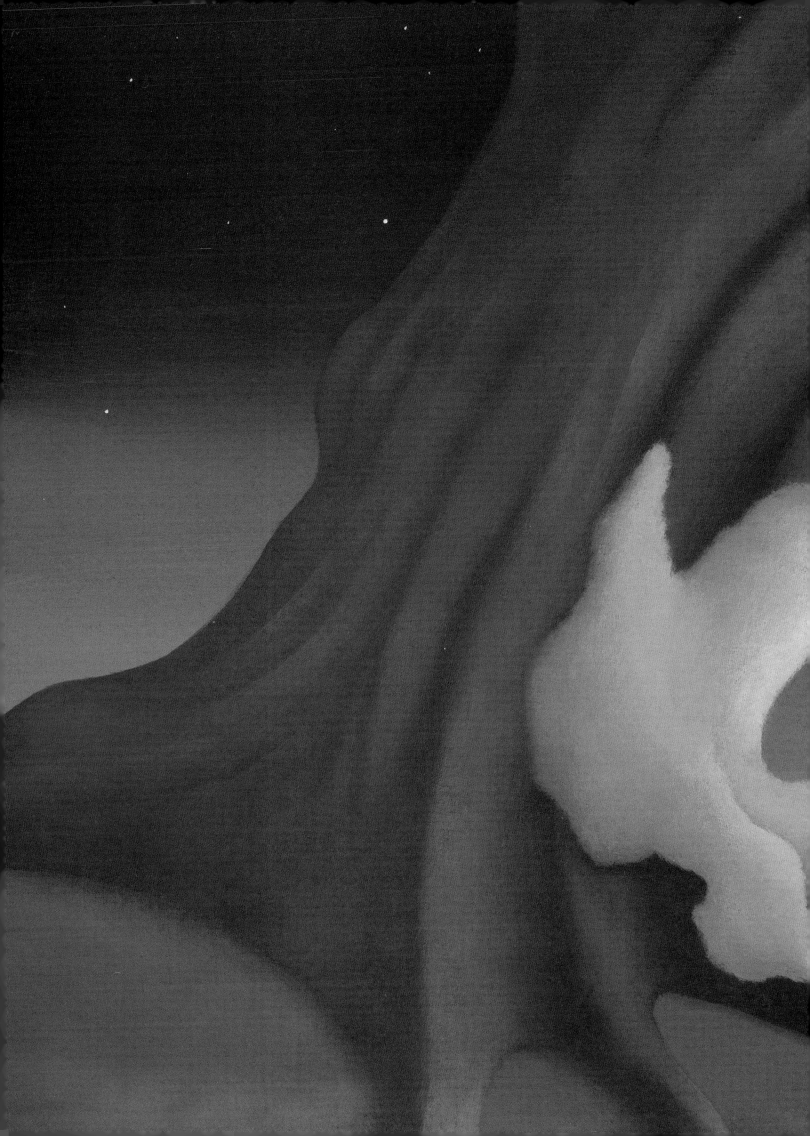

Una vez, una negra noche sorprendió a
Manoug en medio de la nada. Se instaló al
lado de un árbol y cerró los ojos…
En el campo se oían mil y un sonidos.
¿Habría lobos por aquí?
¿Habrían salido las serpientes?

De repente, las nubes desaparecieron descubriendo un
cielo trufado de estrellas. Manoug se puso a contarlas
y a pensar: "Como diría Abuelo, si me dejo alguna,
siempre habrá otra para reemplazarla."

Y tranquilizado con esta idea,
se durmió sonriendo beatíficamente.

Al Alba, un nuevo ruido despertó a Manoug.

Era un tic… seguido de un tac… tic… tac…

–Parece un metrónomo –dijo sorprendido.

–¿Quién escucha un metrónomo a estas horas?

–Nadie, excepto… ¡Abuelo!

Manoug saltaba de alegría.

Cuando Cocagne llegó,
el pequeño le preguntó:
—¿El País de la Felicidad, es mi casa?
El pájaro no le respondió…
Manoug, feliz, garabateó una última
postal, la depositó sobre el felpudo y se
escondió en el campo de calabazas.

Con el cabello gris y los ojos medio cerrados de sueño, Abuelo abrió la puerta. Vio la carta, la leyó y sonrió, ¡cada vez más y más! Sus pupilas se inflamaron como cometas y un tono rojizo se apoderó de sus mejillas.

Querido Abuelo,
Al fin lo he entendido. He encontrado montones de pequeñas felicidades por todos lados, ¡pero la más grande, está aquí!
Besos cercanos,
Manoug.

Estrechando a Manoug entre sus brazos,
Abuelo le pregunta:

–¿Y si nos fuéramos a buscar otras pequeñas
felicidades, tú y yo?

–¿No tienes miedo de que te duelan los pies? -dijo
sorprendido Manoug-. ¿O de coger frío?
¿De perderte?

–Contigo -replicó Abuelo- ¡nunca!

Manoug y Abuelo se pusieron
en marcha esa misma mañana.
Y después por montes, por valles, por cielos,
Cocagne iba detrás de ellos porque…

el País de la Felicidad está donde están las personas felices.